SCÉNARIO
GABY
DESSIN
DZACK
COULEURS
YOANN GUILLO
LES BLONDES
TOME 6
EN FAIT, J'AI UN PROBLÈME, VOUS M'AVEZ DIT QUE VOUS AVIEZ ACHETÉ 10 ROULEAUX. J'EN AI ACHETÉ DIX AUSSI ET IL M'EN RESTE DEUX !
À MOI AUSSI IL M'EN RESTAIT DEUX !
soleil

Les blondes sont habitées par les muses, sans elles nous ne serions rien...
Spéciale dédicace à Sandy et Sandie !

Gaby

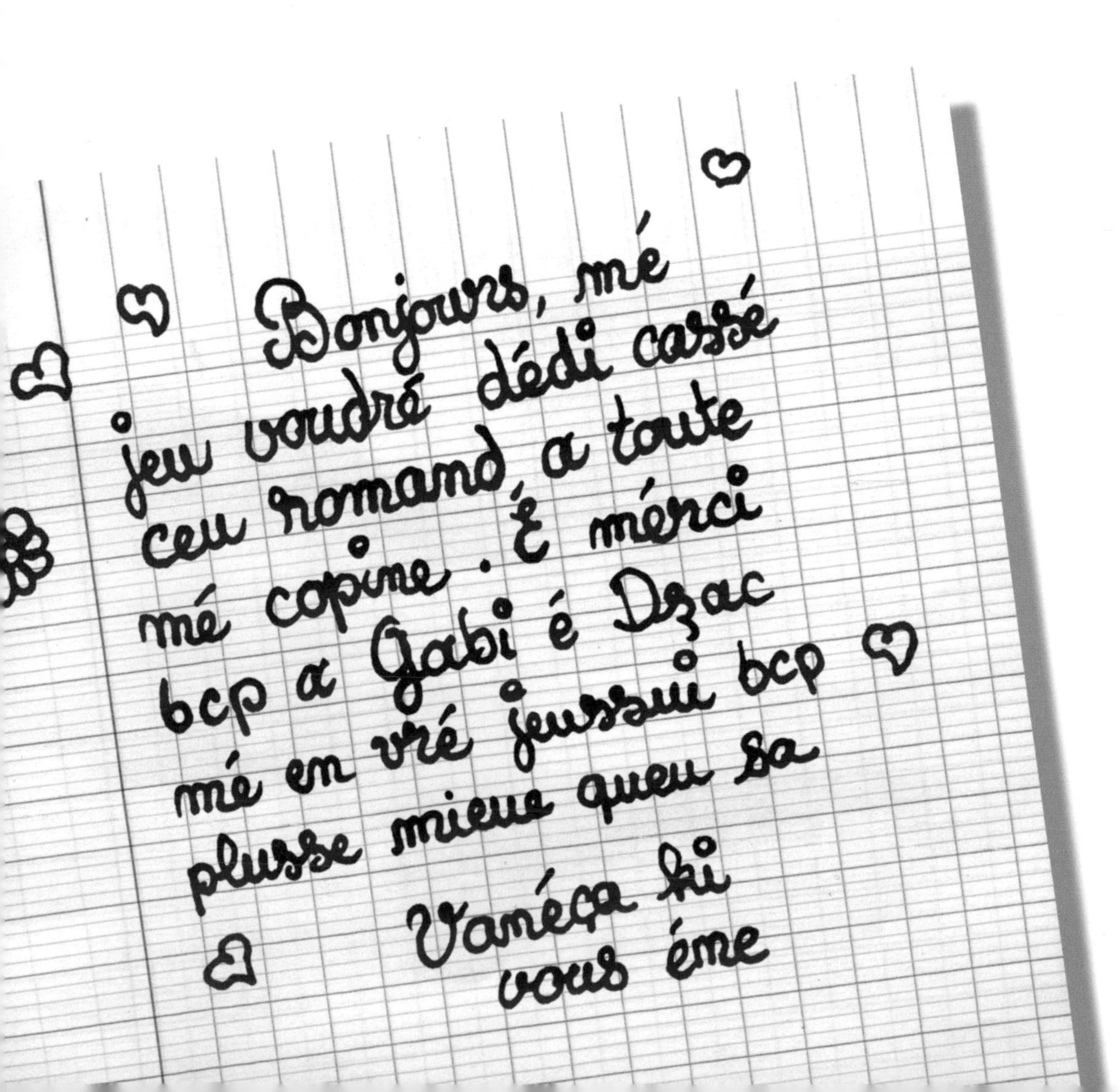
Bonjours, mé
jeu voudré dédi cassé
ceu romamd a toute
mé copine. É mérci
bcp a Gabi é Dzac
mé en vré jeussui bcp
plusse mieue queu sa
Vaméça ki
vous éme

À LA COLLE

DRELIN !!
BONJOUR, JE VIENS DE DÉMÉNAGER ET JE REFAIS LES PAPIERS PEINTS. COMME NOUS AVONS LE MÊME APPARTEMENT...
AH ?
OUI, ENFIN, VOUS AVEZ LE VÔTRE ET MOI LE MIEN, MAIS ILS SONT IDENTIQUES...
EN FAIT, JE ME DEMANDAIS COMBIEN DE ROULEAUX DE PAPIER PEINT VOUS AVIEZ ACHETÉ POUR VOTRE CHAMBRE.
AH, ÇA, JE SAIS. JE ME SOUVIENS, C'ÉTAIT DIX.
MERCI ! C'EST TRÈS GENTIL ! À BIENTÔT !
QUELQUES ROULEAUX PLUS TARD...
DRELIN !
BONJOUR ! AH, JE SUIS NAVRÉE, MAIS J'AI DÉJÀ DONNÉ POUR LES ÉBOUEURS...
HEU... NON... C'EST MOI, VOTRE VOISINE, LE PAPIER PEINT...
EN FAIT, J'AI UN PROBLÈME, VOUS M'AVEZ DIT QUE VOUS AVIEZ ACHETÉ 10 ROULEAUX. J'EN AI ACHETÉ DIX AUSSI ET IL M'EN RESTE DEUX !
À MOI AUSSI IL M'EN RESTAIT DEUX !
C'EST POUR ÇA QUE JE M'EN SOUVENAIS ! C'EST FOU, TOUT DE MÊME...

PIQUÉE AU VIF

AH, TE VOILÀ...
MA PAUVRE, QU'EST-CE QUI T'A MISE DANS UN ÉTAT PAREIL ?
ON FAISAIT UN PIQUE-NIQUE DANS LE JARDIN DE VANESSA...
IL FAIT UN TEMPS SUPERBE ! UN TEL SOLEIL EN MAI, C'EST GÉNIAL !
PAR CONTRE, LES CRÊPES À LA CONFITURE, JE NE SAIS PAS SI C'ÉTAIT UNE BONNE IDÉE...
BZZZZZ
BZZZZZZ
ATTENTION ! UNE GUÊPE !
C'EST TRÈS DANGEREUX, ELLE PEUT TE PIQUER !
MAIS... CE N'EST PAS UNE GUÊPE QUI T'A MISE DANS UN ÉTAT PAREIL ?
NON, C'EST VANESSA. ELLE AVAIT UNE PELLE.
NE BOUGE PAS MA CHÉRIE, JE VAIS LA CHASSER.
Gaby+Dzack

LA POUBELLE POUR ALLER DANSER
BOUBA, BOUBA... IL EST HUIT HEURES, BOUBA, BOUBA...
AUJOURD'HUI, JE RÉUSSIS ! JE REMETS MA PERRUQUE ET CETTE FOIS, ILS NE POURRONT PAS ME DIRE QUE JE SUIS BLONDE !*
ÇA Y EST, JE SUIS BRUNE, JE ME SENS DÉJÀ PLUS INTELLIGENTE.
LES CHAUSSURES, C'EST BON.
LA JUPE C'EST BON, JE N'AI PAS GARDÉ MON PYJAMA, CETTE FOIS.
LE HAUT, C'EST BON...
* VOIR MATIN CHAGRIN, DANS LE TOME 4.
HOP !
LA POUBELLE EN SORTANT, C'EST BON...
OH, LA BLONDE !
ENCORE UNE FAUSSE BRUNE !
QUOI ? ILS M'ONT ENCORE RECONNUE ?
MAIS COMMENT ILS ONT FAIT ?

HYPNOSE

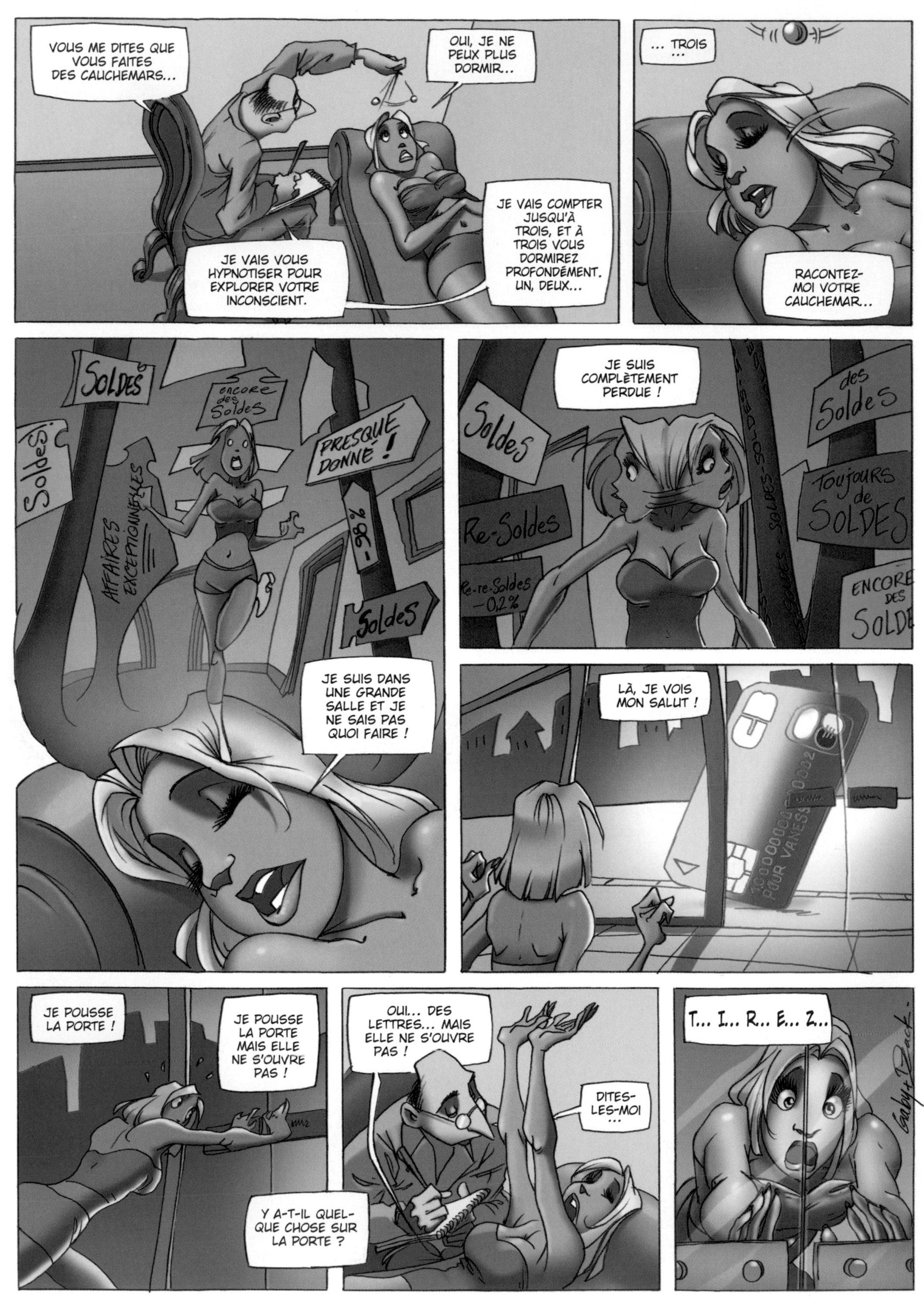
VOUS ME DITES QUE VOUS FAITES DES CAUCHEMARS...
OUI, JE NE PEUX PLUS DORMIR...
JE VAIS VOUS HYPNOTISER POUR EXPLORER VOTRE INCONSCIENT.
JE VAIS COMPTER JUSQU'À TROIS, ET À TROIS VOUS DORMIREZ PROFONDÉMENT. UN, DEUX...
... TROIS ...
RACONTEZ-MOI VOTRE CAUCHEMAR...
SOLDES
encore des Soldes
Soldes!
AFFAIRES EXCEPTIONNELLES
PRESQUE DONNÉ !
-98%
Soldes
JE SUIS DANS UNE GRANDE SALLE ET JE NE SAIS PAS QUOI FAIRE !
JE SUIS COMPLÈTEMENT PERDUE !
Soldes
des Soldes
Toujours de SOLDES
Re-Soldes
Re-re-Soldes -0,2%
ENCORE DES SOLDE
LÀ, JE VOIS MON SALUT !
JE POUSSE LA PORTE !
JE POUSSE LA PORTE MAIS ELLE NE S'OUVRE PAS !
Y A-T-IL QUELQUE CHOSE SUR LA PORTE ?
OUI... DES LETTRES... MAIS ELLE NE S'OUVRE PAS !
DITES-LES-MOI ...
T... I... R... E... Z...

TIMBRÉE

LA POSTE
FERMÉ
Gaby + Dzack
BONJOUR, JE VOUDRAIS UN TIMBRE À 54 CENTIMES D'EUROS, S'IL VOUS PLAÎT !
TENEZ ...
COMBIEN JE VOUS DOIS ?

ENVOYÉE EN L'AIR

BOUBA, BOUBA, MON PETIT POISSON, BOUBA...
6969
C'EST VRAIMENT GÉNIAL D'APPRENDRE À PILOTER !
Gaby + Dzack
VOL 6969, QUELLE EST VOTRE POSITION ?
HOUUU, QU'EST-CE QUE JE FAIS, LÀ...
ALLEZ-Y, RÉPONDEZ. JE VAIS VOIR SI VOUS AVEZ COMPRIS CE QUE JE VOUS AI EXPLIQUÉ.
ALORS JE SUIS ASSISE À L'AVANT DE L'AVION, J'AI LES MAINS POSÉES SUR LA CHOSE DURE ET J'AI LA JAMBE DROITE UN PEU ÉCARTÉE.

ÇA GLISSE AU PAYS DES MERVEILLES

CHÉRI ! LA PORTE GRINCE !
NE T'INQUIÈTE PAS, UN PEU D'HUILE DANS LES CHARNIÈRES ET ÇA NE FERA PLUS UN BRUIT.
JUSTE UNE GOUTTE ET ÇA VA GLISSER TOUT SEUL.
TU VOIS, PLUS UN BRUIT...
CHÉRI ! VIENS VOIR !
QUOI ?
LE PARQUET NE GRINCE PLUS !

LA PLUS BELLE CONQUÊTE DE L'HOMME

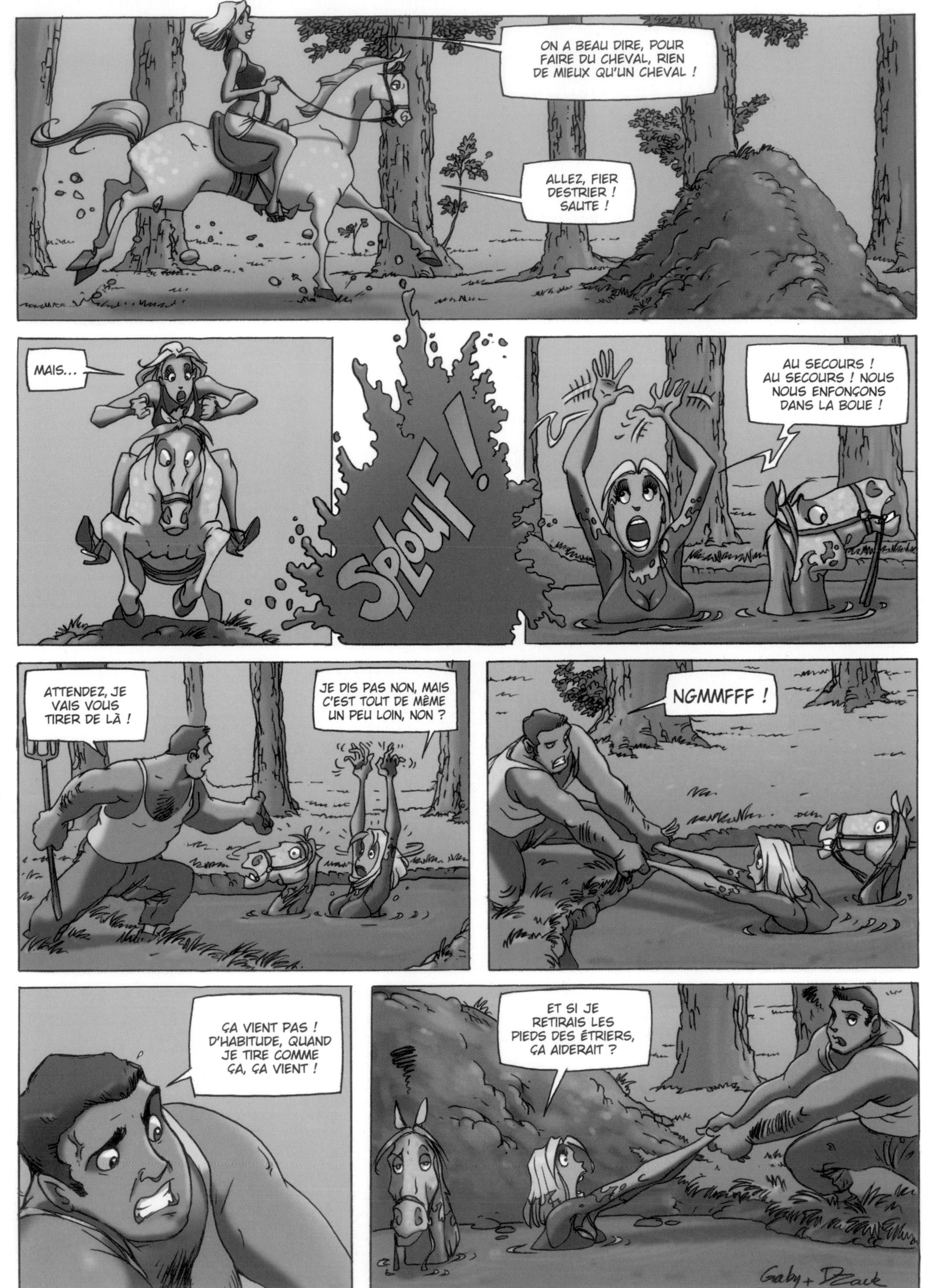

ON A BEAU DIRE, POUR FAIRE DU CHEVAL, RIEN DE MIEUX QU'UN CHEVAL !
ALLEZ, FIER DESTRIER ! SAUTE !
MAIS...
SPLOUF !
AU SECOURS ! AU SECOURS ! NOUS NOUS ENFONÇONS DANS LA BOUE !
ATTENDEZ, JE VAIS VOUS TIRER DE LÀ !
JE DIS PAS NON, MAIS C'EST TOUT DE MÊME UN PEU LOIN, NON ?
NGMMFFF !
ÇA VIENT PAS ! D'HABITUDE, QUAND JE TIRE COMME ÇA, ÇA VIENT !
ET SI JE RETIRAIS LES PIEDS DES ÉTRIERS, ÇA AIDERAIT ?
Gaby + Dzack

MISE BAS

C'EST LÀ ?
RACONTEZ-MOI CE QUI S'EST PASSÉ...
BANQUE DAITUNES
ON PRÉPARAIT LE BRAQUAGE DE LA BANQUE DAITUNES ...
TU AS BIEN COMPRIS ?
COMPRIS QUOI ?
TU ENTRES DANS LA BANQUE, TU ATTACHES LE GARDE ET TU SORS AVEC LE FRIC.
L'ORDRE EST IMPORTANT. ESSAYE D'Y PENSER, CETTE FOIS.
J'ENTRE, JE L'ATTACHE, JE SORS AVEC ... FACILE.
ON MET LE BAS. TU ES PRÊTE ?
PRÊTE !
FONCE, JE TE REJOINS !
OK !
ET ALORS ?
BEN, LA PROCHAINE FOIS, ON PRENDRA VRAIMENT DES BAS ET PAS UN COLLANT.
PAK!
Gaby + Dzack

MÉTÉO

MA CHÉRIE ! TU PEUX SORTIR TON BIKINI ! LA MÉTÉO ANNONCE 30 DEGRÉS POUR LA FIN DE LA SEMAINE ! À NOUS LE BRONZAGE !
TU ES SÛRE ? EN PLEIN MOIS D'AVRIL ?
OUI, OUI... J'AI BIEN REGARDÉ !
15 DEGRÉS SAMEDI ET 15 DEGRÉS DIMANCHE !

PAROLES ET MUSIQUE

TU LIS TOUT ÇA ?
OUI, C'EST UNE COPINE QUI ME L'A CONSEILLÉ. C'EST TRÈS BIEN, MAIS C'EST TRÈS DENSE.
Kant
Kador
AH ? ATTENDS ...
NON, JE NE TROUVE PAS, EN FAIT. IL Y A TOUT DE MÊME DES TRUCS PLUS DANCE...
Kant

ÇA BALANCE À PARIS

VANESSA, TU ME GARDES KIMDY, S'IL TE PLAÎT ?
ELLE A TOUT DE MÊME UN PRÉNOM RIGOLO, TA NIÈCE.
C'EST UN DIMINUTIF, VANESSA, CE N'EST PAS SON VRAI PRÉNOM...
AH ?
TU RESTES AVEC TATA VANESSA, D'ACCORD ? ELLE VA TE CHANTER CALIN CALINETTE !
GA !
OH, DES BD !
JE FAIS LA CUISINE. TU M'APPELLES SI ELLE S'ENDORT, D'ACCORD ?
D'ACCORD !
GA !
CALIN, CALINETTE !
GA !
MAIS QU'EST-CE QU'ELLE EST GOURDE !
G... GA ?
HAHAHAH ! C'EST TROP DRÔLE !
GA !!!
BEN, OÙ ELLE EST ?
AH, ELLE EST LÀ. ELLE EST PARTIE SE COUCHER.
ÇA Y EST, KIMDY S'EST ENDORMIE !!!

C'EST CAÏMAN LA MÊME CHOSE

D'APRÈS LA CARTE, ON VA ARRIVER À LA RIVIÈRE.
IL SERAIT TEMPS, JE FATIGUE, MOI...
AH, TU VOIS ? JE TE L'AVAIS DIT.
ET C'EST MARQUÉ COMMENT ON TRAVERSE, SUR TA CARTE ?
PARCE QUE JE NE VOIS PAS DE PONT, LÀ...
C'EST SIMPLE, ON VA SAUTER DE TRONC D'ARBRE EN TRONC D'ARBRE...
MAIS CE SONT PAS DES TRONCS, CE SONT DES CROCODILES !
TU ES SÛRE ?
TU VEUX UNE PREUVE ?
POK
GRRAAAA
Gaby + Dzack
MAIS TU ES FOLLE ! VIENS TE RÉFUGIER ICI ! VITE ! IL VA TE MANGER !
GRRRAAA
BEN NON, POURQUOI ? C'EST PAS MOI QUI LUI AI LANCÉ LE CAILLOU, C'EST TOI !

BRAÏSSE DE NAÏSSE

J'ADORE VRAIMENT CET ENDROIT !
MAIS IL N'Y A TOUT DE MÊME PAS BEAUCOUP D'ANGLAIS, NON ?
C'EST JUSTE LE NOM, VANESSA. LA PROMENADE DES ANGLAIS. ON EST À NICE.
AH.
C'EST COMME LA RUE DES LAPINS, À ANDERLECHT, TU TE SOUVIENS, IL N'Y AVAIT PAS BEAUCOUP DE LAPINS.
BEN OUI, C'EST BIEN CE QUE JE ME DISAIS, DÉJÀ...
TU VAS VOIR, CETTE PETITE BUVETTE EST TERRIBLE... MAIS... HEU... ELLE EST PLUS LÀ ?
VEUILLEZ M'EXCUSER, MAIS... IL N'Y AVAIT PAS UNE BUVETTE ICI ?
AH BEN SI, MAIS VOUS N'ÊTES PAS AU COURANT ?
BEN, LA BUVETTE A ÉTÉ DÉTRUITE PAR UN RAZ DE MARÉE IL Y A QUELQUES MOIS.
UN PEU COMME DANS LE FILM, LÀ, AVEC LE SURFEUR BLOND.
AH BON, NON, JE NE SAVAIS PAS, MERCI MONSIEUR.
EXCUSEZ-NOUS DE VOUS AVOIR DÉRANGÉ.
C'EST RIEN, MA PETITE DAME.
C'EST TOUT DE MÊME TERRIBLE, LES COLÈRES DE LA NATURE... UN RAZ DE MARÉE...
Gaby + Dzack
OUI, C'EST FOU QU'UN SI PETIT RONGEUR PUISSE FAIRE AUTANT DE DÉGATS !

TÉLÉPHONE GRANDE VITESSE

ON VIT TOUT DE MÊME UNE ÉPOQUE FORMIDABLE, TU NE TROUVES PAS ? GRÂCE À LA TECHNIQUE MODERNE, ON VOYAGE À 300 KM/H !

ET LES VOYAGES, ÇA CREUSE. J'AI UNE DE CES ENVIES DE PIZZA.
TU VEUX ALLER VOIR À LA VOITURE RESTAURANT POUR SAVOIR S'ILS EN ONT ?
NON, NON, NE BOUGE PAS... GRÂCE À LA TECHNIQUE MODERNE...
ON PEUT COMMANDER UNE PIZZA AVEC SON TÉLÉPHONE PORTABLE.
ALLO ? PIZZA FLASH ? C'EST VANESSA, JE VOUDRAIS UNE QUEEN AVEC DOUBLE JAMBON, S'IL VOUS PLAÎT !

LES MINI BLONDES PHOTO CLASSE

SOURIEZ ET REGARDEZ LE PETIT OISEAU !
4
Gaby + Dzack

SOUPLESSE D'ESPRIT

CLAC
CLAC
CLAC
TU TE RONGES TOUJOURS LES ONGLES ?
JE N'Y PEUX RIEN, C'EST NERVEUX !
TU DEVRAIS FAIRE DU YOGA, ÇA TE CALMERAIT. MOI, ÇA M'A FAIT BEAUCOUP DE BIEN.
TU CROIS ?
VIENS, JE T'ACCOMPAGNE...
PREMIER COURS.
CINQUIÈME COURS.
DOUZIÈME COURS.
ALORS ? ÇA TE FAIT DU BIEN ? TU NE TE RONGES PLUS LES ONGLES...
NON, MAIS DEPUIS, AVEC LE YOGA, JE RÉUSSIS À ATTEINDRE LES ONGLES DES PIEDS.
Gaby + Dzack

OBLITÉRÉE

LA POSTE
BONJOUR, VOUS AVEZ LES DERNIERS TIMBRES BANDES DESSINÉES, S'IL VOUS PLAÎT ?
TENEZ ...
C'EST EXACTEMENT ÇA !
VOUS POUVEZ EFFACER LE PRIX SUR LES TIMBRES ? C'EST POUR FAIRE UN CADEAU !
LA POSTE

LA POUBELLE POUR ALLER DANSER 2

ALLEZ ! ON VA SE PROMENER !
GA !
ON VA AU PARC OU AU ZOO ?
GA !
OH, ON EST DESCENDUES À TEMPS, VOILÀ LES POUBELLIERS !
GA ?
PFFF ! ON AURAIT DÛ TE CHANGER AVANT, TU NE SENS PAS TRÈS BON, LÀ !
GA ?
HEU... MADEMOISELLE ??

TRAIN TRAIN QUOTIDIEN

Trains au départ
LE TRAIN EN PROVENANCE DE COLMAR ARRIVERA QUAI DOUZE !
4e Festival BD Colmar
12 et 13 Mai 2007
D'ACCORD... OK... J'Y VAIS...
BONJOUR, MADEMOISELLE. VOUS DÉSIREZ ?
OH OUI, TOUT LE TEMPS.
VOUS DÉSIREZ UN BILLET POUR ?
AH, OUI... JE VOUDRAIS UN BILLET POUR... POUR C'EST DIFFICILE À LIRE... HANSKHLAR, S'IL VOUS PLAÎT...
H...A... N...S...
HANSKHLAR... HANSKHLAR... NON, NAVRÉE, JE NE TROUVE PAS. VOUS ÊTES SÛRE DE L'ORTHOGRAPHE ?
AH BEN OUI, JE L'AI ÉCRIT MOI-MÊME...
JE SUIS VRAIMENT NAVRÉE, MADEMOISELLE. JE NE TROUVE PAS HANSKHLAR...
MAIS SI, IL EST LÀ, C'EST LE MONSIEUR AVEC LE CHAPEAU RIGOLO !
YOUHOU ! HANS !
Gaby+Zack

MÉTÉBAS

SANDY ! SANDY !
QUOI ?
IL A NEIGÉ !
CHIC ! ON VA POUVOIR SORTIR NOS DOUDOUNES !
TU CROIS ? IL FAIT TOUT DE MÊME UN PEU FROID, NON ?
C'EST UN COUP À TOMBER MALADE...
Gaby + Back

CHAUDASSE

OUIIIIIIILLLLE !
QU'EST-CE QUI SE PASSE ?
JE ME SUIS BRÛLÉE EN FAISANT LA VAISSELLE !
TU AS MIS LA MAIN SOUS L'EAU FROIDE ?
NON, SOUS L'EAU CHAUDE !
JE T'AI DIT QUE JE M'ÉTAIS BRÛLÉE, TU ÉCOUTES RIEN ?
Gaby + Back

C'EST UN CAP

ALORS, VOUS AVEZ BIEN COMPRIS ? J'AI ABSOLUMENT BESOIN DE CETTE PROMOTION. IL FAUT QUE VOUS FASSIEZ SUPER BONNE IMPRESSION SUR MA BOSS.
ET PAS DE BLAGUE, ELLE A UN NEZ ÉNORME, MAIS AUCUN COMMENTAIRE. JE VOUS FAIS CONFIANCE.
DREEIN!
MICHELLE ! JE SUIS CONTENTE DE TE VOIR !
ENTRE !
OUI, CE SONT MES MEILLEURES AMIES... ON SE CONNAÎT DEPUIS L'ÉCOLE OU PRESQUE...
PRESQUE DEPUIS QUE NOUS SOMMES... HEU... DEPUIS LA NAISSANCE, EN FAIT !
VANESSA, TU VEUX ALLER VOIR SI LE THÉ EST INFUSÉ ?
JE T'ACCOMPAGNE.
VANESSA, FAIS ATTENTION, TU AS FAILLI FAIRE UNE GAFFE.
OUI, JE SAIS ! MAIS C'EST ÉNORME ! JE VAIS ME CONCENTRER...
ALLEZ, ON Y RETOURNE, ON NE LA LAISSE PAS TOUTE SEULE AVEC MICHELLE.
PAS LE NEZ, PAS LE NEZ, PAS LE NEZ...
PAS LE NEZ, PAS LE NEZ...
MERCI, C'EST GENTIL.
UN PEU DE SUCRE DANS VOTRE NEZ ?

FOOT DE RUT

ILS EN SONT OÙ ?
PLUS QUE CINQ MINUTES À JOUER. POUR L'INSTANT, C'EST 0-0.
ET À LA MI-TEMPS, IL Y AVAIT COMBIEN ?

LA POUBELLE POUR ALLER DANSER 3

VOUS POUVEZ DESCENDRE ÇA ? MERCI ! LA POUSSETTE EST EN BAS.
BIEN SÛR !
ALLEZ, ON VA ALLEZ SE PROMENER !
GA !
HOP ! LA POUBELLE !
GA !
ALORS ? OÙ ON VA AUJOURD'HUI ? AU PARC ?
GA ?

TU PEUX TE BROSSER

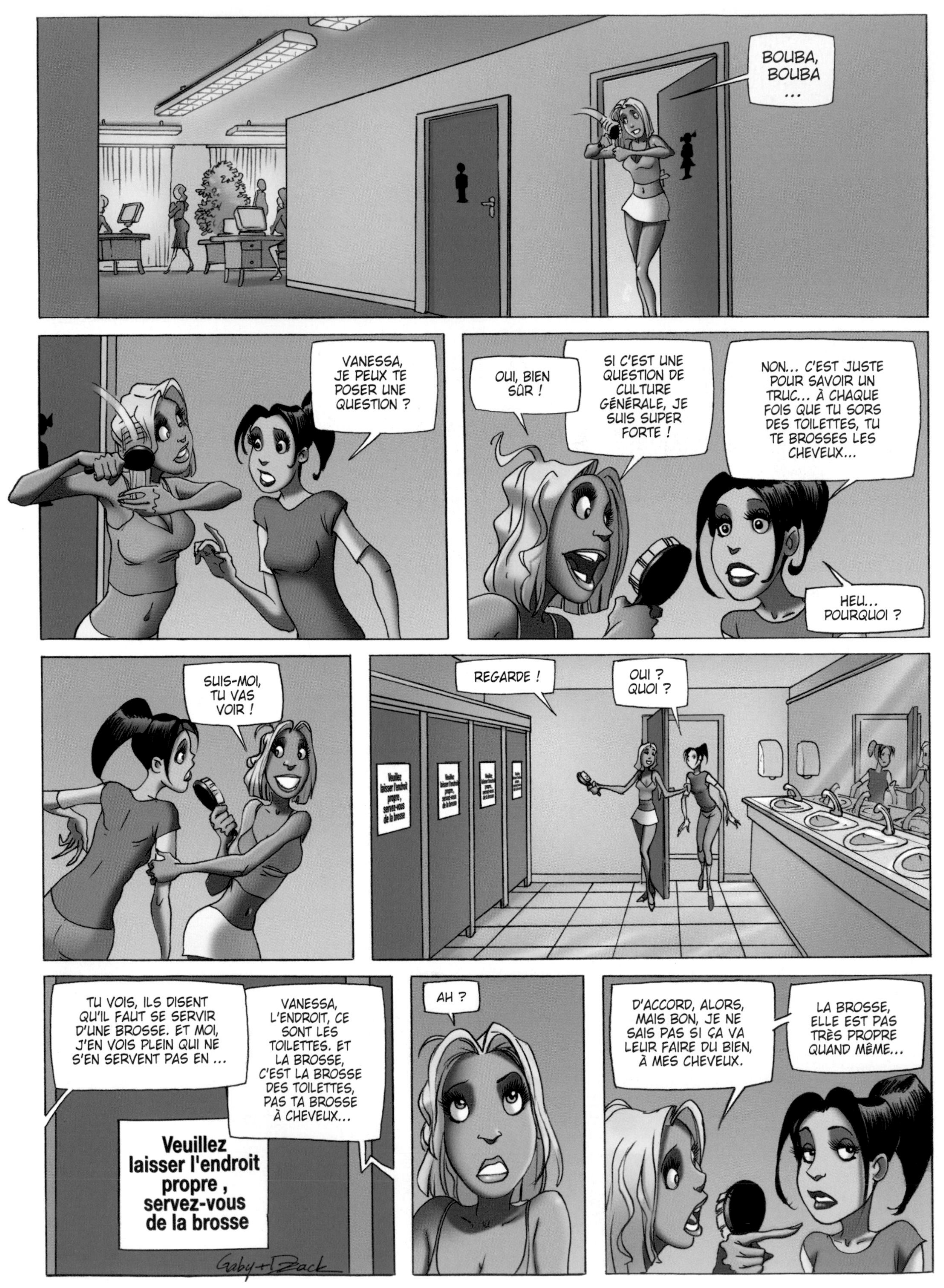
BOUBA, BOUBA ...
VANESSA, JE PEUX TE POSER UNE QUESTION ?
OUI, BIEN SÛR !
SI C'EST UNE QUESTION DE CULTURE GÉNÉRALE, JE SUIS SUPER FORTE !
NON... C'EST JUSTE POUR SAVOIR UN TRUC... À CHAQUE FOIS QUE TU SORS DES TOILETTES, TU TE BROSSES LES CHEVEUX...
HEU... POURQUOI ?
SUIS-MOI, TU VAS VOIR !
REGARDE !
OUI ? QUOI ?
TU VOIS, ILS DISENT QU'IL FAUT SE SERVIR D'UNE BROSSE. ET MOI, J'EN VOIS PLEIN QUI NE S'EN SERVENT PAS EN ...
VANESSA, L'ENDROIT, CE SONT LES TOILETTES. ET LA BROSSE, C'EST LA BROSSE DES TOILETTES, PAS TA BROSSE À CHEVEUX...
Veuillez laisser l'endroit propre , servez-vous de la brosse
AH ?
D'ACCORD, ALORS, MAIS BON, JE NE SAIS PAS SI ÇA VA LEUR FAIRE DU BIEN, À MES CHEVEUX.
LA BROSSE, ELLE EST PAS TRÈS PROPRE QUAND MÊME...
Gaby+Dzack

TÉLÉPHONE GRANDE VITESSE 2

VANESSA, ON ARRIVE DANS UN QUART D'HEURE...

... TU APPELLES ANNE POUR LA PRÉVENIR ?
D'ACCORD !
ALLÔ ? ANNE, ON EST DANS LE TRAIN, ON ARRIVE À LA GARE DANS UN QUART D'HEURE !
SUPER ! VOUS ÊTES OÙ, LÀ ?
BEN, DANS LE TRAIN. JE VIENS DE TE LE DIRE. T'ES BIZARRE, TOI...

ON SE LES GÈLE

IL ÉTAIT SUPER, CE COURS DE GYM ! JE VAIS TROP BIEN DORMIR CE SOIR !
MBLEBBLLE...
VANESSA ? TU FAIS QUOI ?
COBLMBLBLE...
C'EST UN GEL DOUCHE, VANESSA, PAS UN GEL BOUCHE...
FLUBBLMBLLE !

QUI ? PROQUO

JE SUIS SI CONTENT QUE MES PARENTS VIENNENT DÎNER CHEZ TOI !
MOI AUSSI, MON CHÉRI !
ÇA REPRÉSENTE BEAUCOUP POUR MOI. POUR NOUS...
C'EST LA DEUXIÈME FOIS QUE TU LES VOIS. J'ESPÈRE QUE TU VAS LEUR FAIRE BONNE IMPRESSION CAR PAPA EST...
DRELIN !
NE BOUGE PAS, J'Y VAIS !
... MILITAIRE ET UN PEU VIEUX JEU...
BONJOUR ?
BONJOUR, VANESSA.
OH, MERCI !
MAIS IL NE FALLAIT PAS...
... MONTER À DEUX...
CLAC
PFFF... ILS SE PLAIGNENT QUAND ON DIT QUE CE SONT DES FAINÉANTS, MAIS TOUT DE MÊME, ILS N'ONT PAS BESOIN D'ÊTRE DEUX POUR MONTER UN BOUQUET DE FLEURS...
QUI ?
TIDIT TIDIT
BEN, LES POSTIERS, MON CHÉRI.
ALLÔ ? PAPA, C'EST TOI ? QUOI ?
CHÉRIE, TU N'AS PAS RECONNU MES PARENTS ?
AH NON ?
MAIS... MAIS ILS VIENNENT DE T'APPORTER DES FLEURS !
... FURIEUX... TA MÈRE... EN LARMES... SCANDALE...
TON PÈRE N'EST PLUS MILITAIRE ? IL EST POSTIER MAINTENANT ? IL FALLAIT ME PRÉVENIR...
Gaby + Dzack

AU PARFUM

C'EST TOUT DE MÊME UNE BONNE IDÉE CE PIQUE-NIQUE, ÇA NOUS CHANGE DE LA CANTINE.
OUI, ON A TOUS BESOIN DE S'AÉRER LE CERVEAU DE TEMPS EN TEMPS...
HEIN ?
NON, LAISSE TOMBER. PAS TOUS, EN FAIT.
OH, JE VAIS FAIRE UN BOUQUET !
OH, IL Y EN A UNE QUI FAIT DE LA MUSIQUE !
BZZZZZ BZZZZZ
ATTENTION, IL Y A DES ABEILLES !
AHIIIEUH
PIC !
MON DIEU ! VITE ! IL FAUT ALLER À LA PHARMACIE !
VOUS DÉSIREZ ?
ÇA NE SE VOIT PAS ASSEZ ? MON AMIE S'EST FAIT PIQUER PAR UNE ABEILLE !
ELLE EST COMPLÈTEMENT DÉFIGURÉE !
OUILLE, ÇA PIQUE !
COMMENT VOULEZ-VOUS QUE JE LE SACHE ? JE NE L'AI JAMAIS VUE AVANT...
ELLE A PAS TORT, LÀ...
Gaby + Dzack

TRAVAILLER AVEC EUX

SEMINAIRE
Mieux travailler ensemble
salle de réunion 15 heures.
Badges nominatifs à retirer au secrétariat
BONJOUR MA CHÉRIE, TU VAS BIEN ? JE NE T'AI PAS CROISÉE AUJOURD'HUI !
BEN NON, MOI NON PLUS. C'EST BIZARRE ?
JE VAIS À LA RÉUNION. TU M'ACCOMPAGNES ?
LÀ ? MAINTENANT ? TOUT DE SUITE ? OH OUI ! C'EST GÉNIAL !
HEU
TU AS TOUT ARRANGÉ AVEC MA CHEF DE SERVICE ? J'AI ENCORE DES RTT ?
HEU
TU AS BESOIN DE MON PASSEPORT POUR LE BILLET D'AVION ?
VANESSA, LA RÉUNION. PAS L'ÎLE.
BEN NON, PAS LILLE. LA RÉUNION.
LA RÉUNION, LE SÉMINAIRE. ICI. DANS LA GRANDE SALLE.
AH.
ALLEZ VIENS, ON VA CHERCHER TON BADGE NOMINATIF AU SECRÉTARIAT.
AH, NON, JE SUIS PEUT-ÊTRE BLONDE, MAIS ÇA SUFFIT !
COMMENT ? QU'EST-CE QUE J'AI DIT ?
JE N'AI TOUT DE MÊME PAS BESOIN DE BADGE, JE SAIS COMMENT JE M'APPELLE !
ET JE M'APPELLE ... HEU...
VANESSA, S'IL TE PLAÎT...
C'EST ÇA, VANESSA S'IL TE PLAÎT. MERCI.

ACCOUCHÉE SOUS X

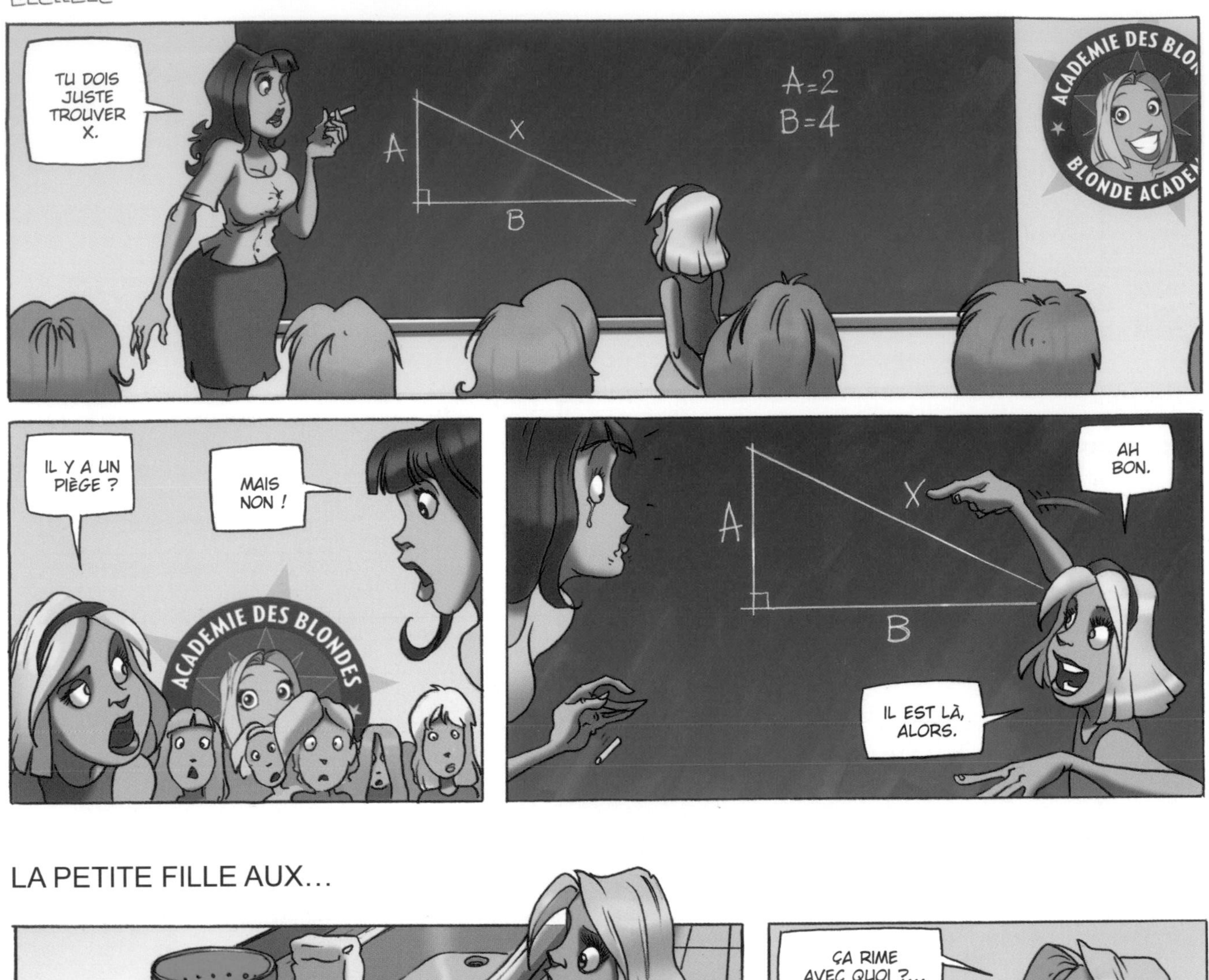
LES MINI BLONDES
TU DOIS JUSTE TROUVER X.
A=2
B=4
A
X
B
ACADEMIE DES BLONDES
BLONDE ACADEMY
IL Y A UN PIÈGE ?
MAIS NON !
ACADEMIE DES BLONDES
AH BON.
IL EST LÀ, ALORS.

LA PETITE FILLE AUX…

PASSER DANS L'EVIER
UNE BONNE ASSIETTE DE NOUILLES, ÇA FAIT DU BIEN AUX…
ÇA RIME AVEC QUOI ?…
GRENOUILLES ?
OUPS !
PFFF… JE ME SUIS ENCORE TROMPÉE DE SENS…

TROMPERIE SUR LA MARCHANDISE

CHÉRI ? JE SUIS RENTRÉE EN AVANCE ! TU ES LÀ ?
J'AI ENTENDU LA PREMIÈRE FOIS...
J'ARRIVE, MON CHÉRI !
OUI ! OUI !
OUI ! OUI ! OUI !
IL EST BÊTE LUI, POURQUOI IL RÉPÈTE ?
COMMENT TU PEUX ME FAIRE ÇA !
C'EN EST TROP !
NON, CHÉRIE ! NE TE TUE PAS...
ÇA N'EN VAUT PAS LA PEINE !
TOI, NE FAIS PAS LE MALIN ! TU ES LE PROCHAIN À MOURIR !

PISTE NOIRE

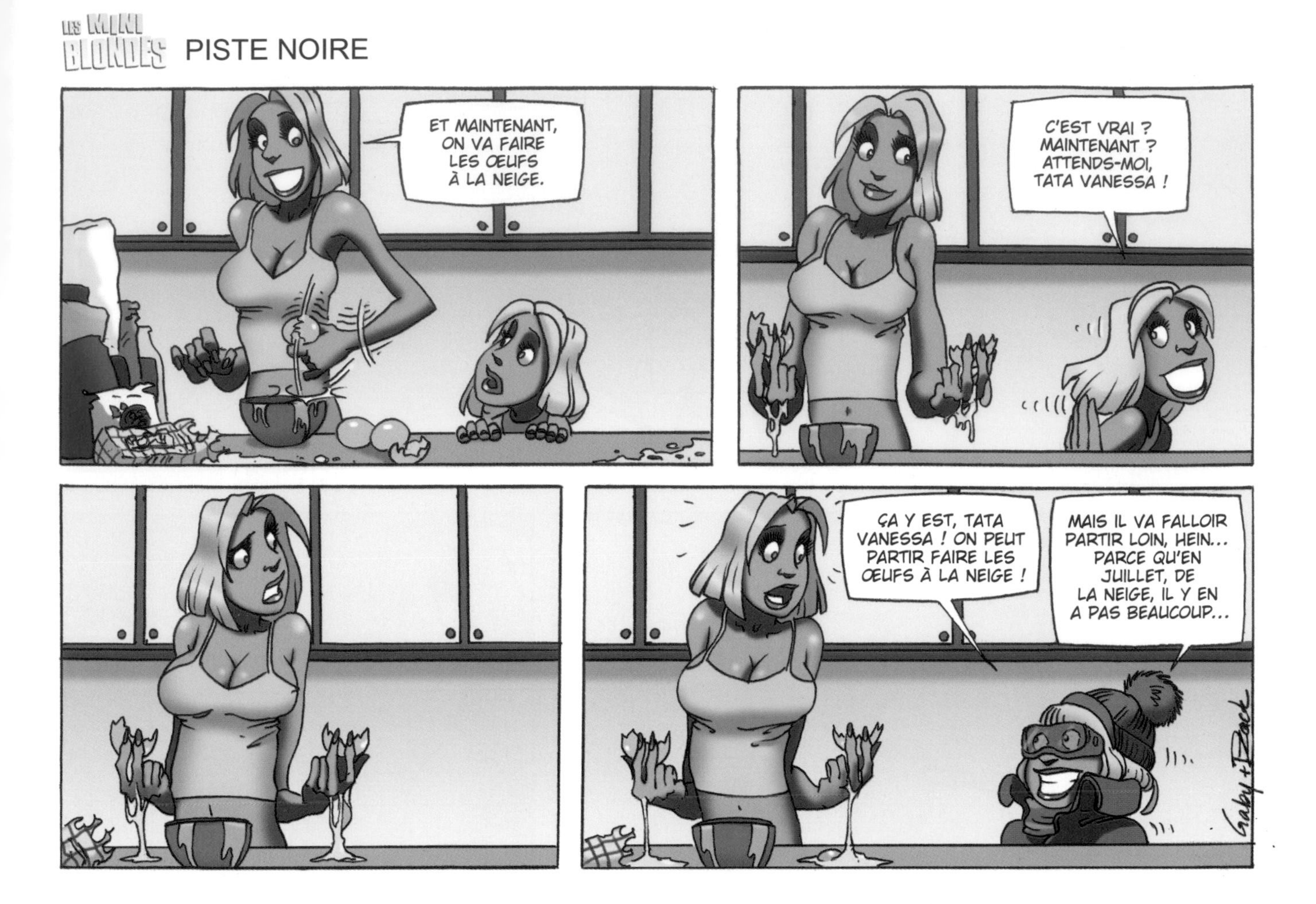
ET MAINTENANT, ON VA FAIRE LES OEUFS À LA NEIGE.
C'EST VRAI ? MAINTENANT ? ATTENDS-MOI, TATA VANESSA !
ÇA Y EST, TATA VANESSA ! ON PEUT PARTIR FAIRE LES OEUFS À LA NEIGE !
MAIS IL VA FALLOIR PARTIR LOIN, HEIN... PARCE QU'EN JUILLET, DE LA NEIGE, IL Y EN A PAS BEAUCOUP...
Gaby + Dzack

VIVE L'AVARIÉE

C'EST GÉNIAL ! IL Y A PLEIN DE MONDE ! C'EST VRAIMENT GÉNIAL !
BONJOUR, MA CHÉRIE !
Gaby + Dzack
TU ES VENUE AUSSI ! C'EST TROP GÉNIAL !

RÉGIME SANS ELLE

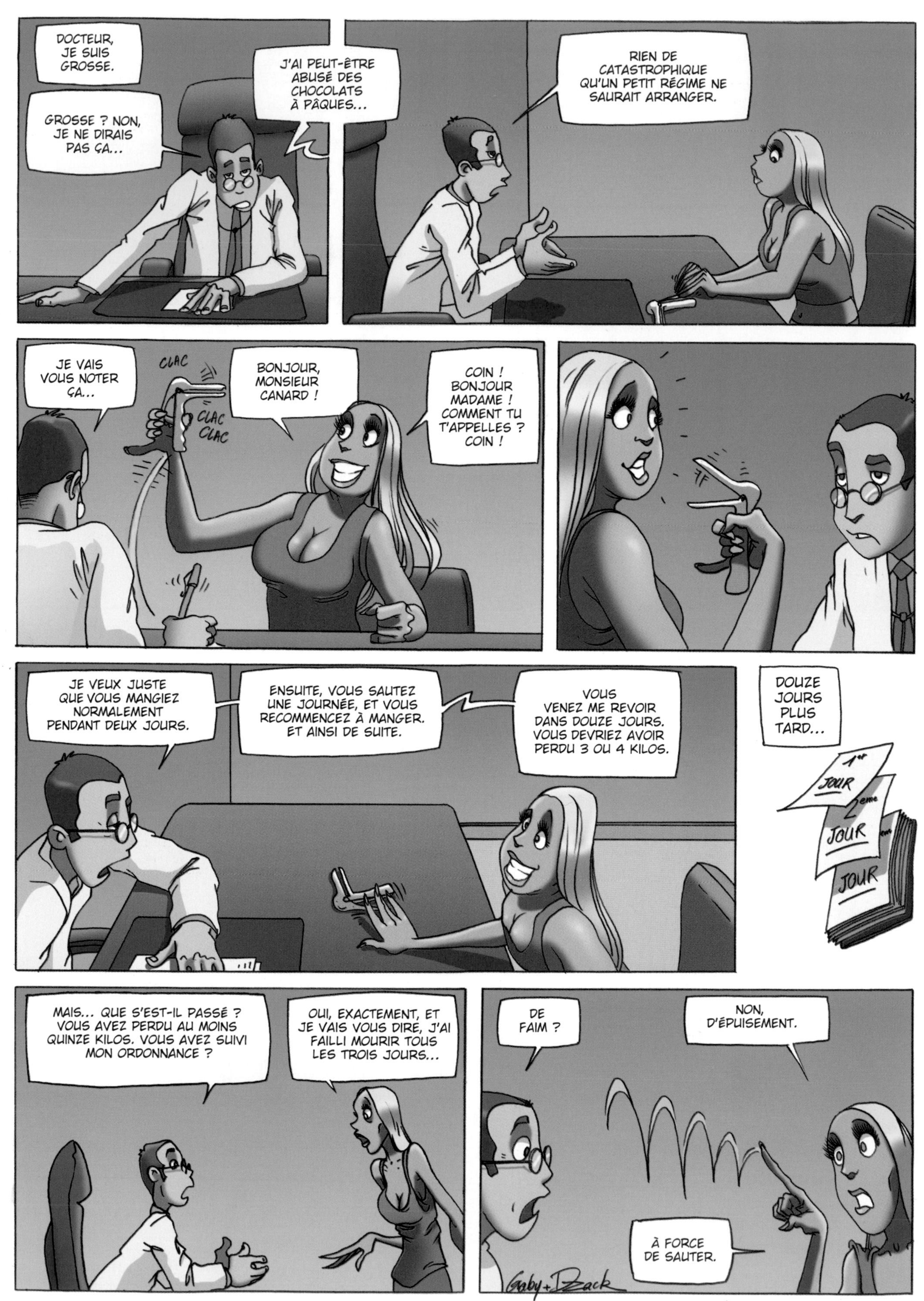

DOCTEUR, JE SUIS GROSSE.
GROSSE ? NON, JE NE DIRAIS PAS ÇA...
J'AI PEUT-ÊTRE ABUSÉ DES CHOCOLATS À PÂQUES...
RIEN DE CATASTROPHIQUE QU'UN PETIT RÉGIME NE SAURAIT ARRANGER.
JE VAIS VOUS NOTER ÇA...
CLAC
CLAC CLAC
BONJOUR, MONSIEUR CANARD !
COIN ! BONJOUR MADAME ! COMMENT TU T'APPELLES ? COIN !
JE VEUX JUSTE QUE VOUS MANGIEZ NORMALEMENT PENDANT DEUX JOURS.
ENSUITE, VOUS SAUTEZ UNE JOURNÉE, ET VOUS RECOMMENCEZ À MANGER. ET AINSI DE SUITE.
VOUS VENEZ ME REVOIR DANS DOUZE JOURS. VOUS DEVRIEZ AVOIR PERDU 3 OU 4 KILOS.
DOUZE JOURS PLUS TARD...
1er JOUR
2ème JOUR
JOUR
MAIS... QUE S'EST-IL PASSÉ ? VOUS AVEZ PERDU AU MOINS QUINZE KILOS. VOUS AVEZ SUIVI MON ORDONNANCE ?
OUI, EXACTEMENT, ET JE VAIS VOUS DIRE, J'AI FAILLI MOURIR TOUS LES TROIS JOURS...
DE FAIM ?
NON, D'ÉPUISEMENT.
À FORCE DE SAUTER.
Gaby + Dzack

VISITE GUIDÉE

AUTANT VOUS PRÉVENIR, MADEMOISELLE, L'APPARTEMENT EST INOCCUPÉ DEPUIS UN CERTAIN TEMPS ET IL FAUDRA PEUT-ÊTRE LE RAFRAÎCHIR UN PEU...
COMME VOUS LE VOYEZ, LA CUISINE EST ÉQUIPÉE...
LA CHAMBRE À COUCHER ?
VANESSA, QU'EST-CE QUE TU FAIS ?
BEN, J'OUVRE LES FENÊTRES, POUR RAFRAÎCHIR.
MÊME S'IL FAIT DÉJÀ ASSEZ FROID COMME ÇA, JE TROUVE...
JE DOIS VOUS AVOUER, CERTAINES PRISES N'ONT PAS LA TERRE.
ÇA VEUT PEUT-ÊTRE DIRE QU'ELLES ONT MARS, OU VÉNUS ?
OU PLUTO ?
ALORS ? QU'EST-CE QUE TU EN PENSES ? JE LE PRENDS ?
OUI, JE CROIS QUE TU PEUX, C'EST UN BEAU APPARTEMENT.
VOUS POUVEZ MÊME DIRE UN BEL APPARTEMENT !
AH NON, JE VOUS FERAIS DIRE. APPARTEMENT, C'EST UN MOT MASCULIN. BELLE, C'EST FÉMININ, BEAU, C'EST MASCULIN.
UN BEAU APPARTEMENT. JE SAIS CE QUE JE DIS, TOUT DE MÊME !

ENVELOPPÉ C'EST PESÉ

TU NE T'ES JAMAIS DEMANDÉE POURQUOI ÇA S'APPELLE UN MUSÉE ?
PEUT-ÊTRE PARCE QUE TOUT EST USÉ...
AH OUI, C'EST PAS IDIOT...
OH, REGARDE, ILS AVAIENT DES CHAPEAUX RIGOLOS À L'ÉPOQUE...
3587 AV JC
ET MÊME CERTAINS TRÈS NULS, COMME LA CASQUETTE LÀ, SUR LE MASQUE D'ALCOOLIQUE.
3587 AV JC
POURQUOI C'EST ÉCRIT 3587 AV JC ?
3587 AV JC
ÇA DOIT ÊTRE LA PLAQUE D'IMMATRICULATION DE LA VOITURE QUI LUI A ROULÉ DESSUS ET QUI L'A MIS DANS CET ÉTAT-LÀ...
AH OUI, C'EST ÇA !

DONNÉ C'EST DONNÉ

OH C'EST QUOI ? DES NOUVELLES CARTES DE CRÉDIT ?
NON, ÇA, C'EST MA CARTE DE DONNEUSE DE SANG. JE DONNE MON SANG RÉGULIÈREMENT.
ET ÇA, C'EST MA CARTE DE DON D'ORGANES.
OH, TU DONNES TES ORGANES RÉGULIÈREMENT ?

OUILLE

BIEN, ÇA A L'AIR D'ALLER MIEUX, LES LIGAMENTS CROISÉS NE SONT PAS DÉCHIRÉS... MAIS BON, FAITES ATTENTION LA PROCHAINE FOIS QUE VOUS FAITES DU HOOLAHOOP, HEIN...
OUILLE...
JE REMPLACE LA POMMADE PAR DES CACHETS POUR CALMER LA DOULEUR.
VOUS ÊTES SÛR, DOCTEUR ? ÇA NE VA PAS ÊTRE PLUS DIFFICILE À ÉTALER ?

PAS MANCHOT LES PINGOUINS

Notre Dame de la Charité Bienordoné
HOU LÀ LÀ...
EXCUSEZ-MOI...
OUI ? JE VOUS SERS QUELQUE CHOSE ?
NON, PAS TOUT DE SUITE. DITES-MOI, QUELLE TAILLE FAIT UN MANCHOT ?
BEN... HEU... JE SAIS PAS MOI... UN PEU COMME ÇA. SOIXANTE, SOIXANTE-DIX CENTIMÈTRES ?
ET LES MANCHOTS EMPEREURS, ILS MESURENT À PEINE PLUS D'UN MÈTRE, HEIN... COMME ÇA...
OUI, ENFIN, JE SUIS PAS SPÉCIALISTE NON PLUS, HEIN...
ET LES MANCHOTS S'ÉCHAPPENT RAREMENT DU ZOO, N'EST-CE PAS ?
À MA CONNAISSANCE, IL N'Y A PAS EU D'ÉVASION DE MASSE.
PFFFF, JE VAIS PRENDRE UNE BIÈRE ALORS.
J'AVAIS VRAIMENT CRU ÉCRASER UN MANCHOT !

EMBARQUEMENT IMMÉDIAT

LES PASSAGERS DU VOL SOLEIL AIRLINES 2007 À DESTINATION DES SEYCHELLES SONT PRIÉS DE SE PRÉSENTER PORTE 17.
Hall 3
LE VOL SOLEIL AIRLINES, LES SEYCHELLES, C'EST NOUS ! VIVE LES VACANCES !
PORTE 19, PORTE 19, C'EST LÀ !
SA 2007 Seychelles
embarquement en bus
BRRR... J'ESPÈRE QU'ON VA PAS AVOIR TROP FROID PENDANT LE TRAJET EN BUS...
VANESSA ? ÇA VA ?
embarquement en bus
OUI, MAIS JE PENSAIS QU'ON PARTAIT EN AVION, PAS EN BUS.
D'ACCORD, CE SONT DES BILLETS EN CLASSE ÉCONOMIQUE, MAIS JE TROUVE QUE C'EST LE BUS LE PLUS CHER DU MONDE.
SANS COMPTER QUE LES SEYCHELLES, C'EST LOIN.
ON VA METTRE PLUSIEURS JOURS PAR LA ROUTE. AUSSITÔT ARRIVÉES, IL FAUDRA REPARTIR, ÇA VA NOUS PLOMBER NOS VACANCES.
Gaby + Dzack

MOITIÉ VIDE

CHÉRIE ? MA CHEMISE EST PRÊTE ?
PSSSHHH
JE TE L'APPORTE TOUT DE SUITE, MON CHÉRI !
TIENS, MON CHÉRI !
MERCI, MA CHÉRIE !
HEU...
DIS, CHÉRIE, POURQUOI TU N'AS REPASSÉ QUE LA MOITIÉ DE MA CHEMISE ?
TU T'EN ES APERÇU AUSSI ?
IL FAUT CHANGER LE FER À REPASSER.
LE FIL EST DEVENU TROP COURT.
Gaby + Dzack

BRÛLURE AU PREMIER DEGRÉ

AH, TU ES LÀ...
ILS DEVRAIENT TE GARDER LA MÊME CHAMBRE, ÇA M'ÉVITERAIT DE TE CHERCHER À CHAQUE FOIS...
MA PAUVRE CHÉRIE, QU'EST-CE QUI S'EST PASSÉ ?
JE ME SUIS UN PEU BRÛLÉE...
J'ÉTAIS EN TRAIN DE FAIRE UNE VINAIGRETTE POUR CE SOIR...
DEUX CUILLERÉES DE MOUTARDE, DEUX CUILLERÉES DE VINAIGRE,...
...CINQ CUILLERÉES D'HUILE, UNE PINCÉE DE POIVRE...
ON FERME BIEN AVANT DE SECOUER.
CLIC
JUSQUE-LÀ, JE SUIS... MAIS COMMENT ES-TU ARRIVÉE LÀ ?
J'ALLAIS BOIRE MON THÉ D'UNE MAIN EN SECOUANT MA BOUTEILLE DE VINAIGRETTE DE L'AUTRE.
ET JE ME SUIS TROMPÉE DE MAIN...
Gaby + Dzack

TRIBU À PAYER

ALORS CE SAFARI PHOTOS EN AFRIQUE ? C'ÉTAIT COMMENT ?
MONTRE-NOUS LES PHOTOS ! VITE !
ATTENDEZ, JE DONNE À BOIRE À BOUBA ET J'ARRIVE.
C'EST UN POISSON...
NON, LAISSE...
ALLEZ-Y, REGARDEZ, ELLES SONT RÉUSSIES, HEIN ?
HEU... VANESSA ?
VANESSA ? IL N'Y A AUCUN ANIMAL SUR TES PHOTOS...
OH BEN NON, LES GIRAFES ET LES ÉLÉPHANTS, ON EN VOIT TOUT LE TEMPS À LA TÉLÉ. ALORS QUE LES RANGERS, ON LES VOIT MOINS. ILS ÉTAIENT TRÈS DRÔLES ET CRIAIENT TOUT LE TEMPS LE NOM DE LEUR TRIBU.
ILS CRIAIENT TOUT LE TEMPS ?
OUI ! DÈS QU'IL Y AVAIT UN ANIMAL, ILS NOUS LES MONTRAIENT ET MOI, JE PRÉFÉRAIS LES PRENDRE EN PHOTO. ALORS ILS FAISAIENT DES GRANDS GESTES ET ILS CRIAIENT LE NOM DE LEUR TRIBU.
C'EST TRÈS IMPRESSION-NANT.
ET ILS CRIAIENT QUOI, EXACTEMENT ?
LE NOM DE LEUR TRIBU.
ET C'ÉTAIT QUOI LEUR TRIBU ?
LA PLUPART ÉTAIENT DES "MENONPANOULA". MAIS IL Y AVAIT AUSSI DES "AILAIDEBILOUKOUA" ET DES "JIKROAPA" !
MAIS NON ! PAS NOUS ! LÀ !
ELLE EST DÉBILE OU QUOI ?
J'Y CROIS PAS !

Soleil Productions
15, Boulevard de Strasbourg
83000 Toulon - France

Bureaux parisiens
25, Rue Titon - 75011 Paris - France

Réalisation graphique : Studio Soleil
Préparation couleurs : Luc Perdriset

Dépôt légal : Mai 2007 - ISBN : 978 - 2 - 84946 - 207 - 2

Imprimé en France par Jean-Lamour - Groupe Qualibris (09-09)